y el

PAQUETE MISTERIOSO

 Bruño

Para Orlando.
J.S.

Para Sally y Matty.
C.E.

Título original: *Zak Zoo and the Peculiar Parcel,*
publicado por primera vez en el Reino Unido por Orchard Books,
una división de Hachette Children's Books
Texto: © Justine Smith, 2012
Ilustraciones: © Clare Elsom, 2012

© Grupo Editorial Bruño, S. L., 2013
Juan Ignacio Luca de Tena, 15; 28027 Madrid
Dirección Editorial: Isabel Carril
Coordinación Editorial: Begoña Lozano
Edición: Cristina González
Preimpresión: Equipo Bruño

Traducción: © Eva Girona, 2013

ISBN: 978-84-216-9981-2
D. legal: M-11000-2013

www.brunolibros.es

y el

PAQUETE MISTERIOSO

Justine Smith • Clare Elsom

Zak Zoo vive en el n.º 1 de la avenida de África. Sus padres están de expedición en la selva, así que su familia animal es la que cuida de él, aunque a veces las cosas se ponen un poco . . . ¡BESTIAS!

Zak Zoo estaba esperando un paquete, pero Percy, el cartero, pasó por delante de su casa sin pararse.

Zak llamó a la oficina de correos.

—¿No tenéis un paquete para mí? —preguntó.

—Pues sí —respondió Percy—, pero no puedo seguir siendo tu cartero.

—¿Por qué? —quiso saber Zak.

—Porque es demasiado peligroso —contestó Percy—. ¡La semana pasada tus leones me atacaron! —Pero si son cachorros... —replicó Zak—. Solo estaban jugando.

—Y tu búfalo me mordió —siguió Percy.
—Eso es porque tenía hambre
—replicó Zak—. Te confundiría
con su desayuno.

—¡Y tu oso me aplastó! —siguió Percy.
—Bah, te dio un abrazo de oso
—replicó Zak—. ¡Eso es porque le caes
bien!

Zak fue a la oficina de correos.
Por si acaso, dejó en casa a los
cachorros de león, al búfalo y al oso.
Pero sí que se llevó a Emi, la elefanta.

—Hola, Percy —dijo Zak—. ¿Me das
mi paquete?
Al ver a Emi, Percy se escondió
debajo de la mesa.

Zak se metió también debajo
de la mesa para hablar con él.
—Creo que voy a cambiar de trabajo
—le dijo Percy—. Abriré una cafetería.
—¡Qué buena idea! —exclamó Zak.

Mientras Percy hablaba con Zak,
Emi atendía a la gente.

—Percy es simpático —le dijo Zak
a Emi cuando se fueron—. Pero ser
cartero no es lo suyo.

Emi estaba de acuerdo. ¡Sería genial
que Percy tuviese su propia cafetería!

Cuando Zak llegó a casa, abrió
el paquete. Dentro había una carta.

Campamento Perdido
La selva
África

Querido Zak:

Esto es un regalo para ti.

Besos,
mamá y papá

P.D.: ¿Te frotas bien detrás
de las orejas cuando te duchas?

Mia, la mejor amiga de Zak, fue a ver el regalo.

—¿Qué será? —preguntó Zak.

—¿Será una semilla? —dijo Mia.

¡Mia había acertado! Todos
ayudaron a plantar la semilla,
y Emi la regó.

La planta creció muy deprisa.
Cada día tenía más hojas
y flores.

—¿Y si le ponemos nombre?
—dijo Mia.

—¡La llamaremos Gloria!
—exclamó Zak.

Zak escribió a sus padres.

Queridos papá y mamá:

Gracias por la planta peluda.
La he llamado Gloria.

Besos, Zak

de parte de Gabi

P. D.: Tranquilos, me duché
el mes pasado.

Pero Gloria empezó a ponerse marrón.
Aunque la tata Hilda la regaba cada
día, estaba muy mustia.

Todos querían ayudar a Gloria,
pero... ¿qué podían darle de comer?
No le gustaban las moscas.

Y tampoco los gusanos.

Zak recogió caca de búfalo.

—Es buena para las plantas —dijo.

—¡Puajjj! —exclamó Mia, y se llevó a su hámster a casa por si a Gloria le daba por zampárselo.

La tata Hilda tuvo una idea: sacó
el cubo de la basura de debajo del
fregadero y puso la planta en su lugar.
¡Gloria se comía toda la basura!

¡Por fin, Gloria estaba contenta!
Y enseguida le salió una vaina
con una semilla.

—¿A quién le damos la semilla?
—preguntó Mia.

—¡Ya lo tengo! —exclamó Zak.

Un mes después, Zak recibió otro
paquete.

Títulos de la colección

www.brunolibros.es